Le poulet fermier

© 2013, l'école des loisirs, Paris
Loi n° 49.956 du 16 juillet 1949 sur les publications
destinées à la jeunesse : avril 2013
Dépôt légal : juin 2013
Imprimé en France par l'imprimerie Pollina à Luçon - L65278

ISBN 978-2-211-21207-6

Agnès Desarthe

Le poulet fermier

Illustrations d'Anaïs Vaugelade

Mouche
l'école des loisirs
11, rue de Sèvres, Paris 6ᵉ

Pour D., trente ans après

Dans la famille Dumordu, on était fermier de père en fils.

C'était ce qu'Archibald Dumordu avait déclaré à son fils unique, Douglas Dumordu, en mourant :

— Mon fils, je vais mourir, il faut que tu t'occupes de la ferme, car dans la famille Dumordu, on est fermiers de père en fils.

Douglas était très triste, parce qu'il aimait beaucoup son père et qu'il n'avait déjà plus de maman. Je suis un pauvre orphelin, se dit-il. Et, en plus, je ne sais pas du tout comment on s'occupe d'une ferme.

Douglas était encore jeune, et personne ne lui avait expliqué en quoi consistait l'agriculture. À l'école du village, il avait appris à lire et à compter, mais on ne lui avait pas parlé de l'élevage, des troupeaux, des plantations, des récoltes, et de tout ce qui fait qu'une ferme est une ferme.

En rentrant du cimetière, il décida de fabriquer une belle pancarte en lettres majuscules pour l'afficher à l'entrée de l'exploitation :

Après quoi, il se rendit au hangar pour examiner les divers engins. Il y avait un vieux tracteur rouge, et un plus neuf et plus petit de couleur bleue. Souvent, quand il était petit, il avait accompagné son père, tantôt assis sur ses genoux, tantôt dans la remorque. Il se rappelait qu'il fallait tourner la clé, appuyer sur la pédale avec le pied et actionner une manette, mais laquelle ? Il aurait dû faire plus attention.

Il grimpa sur le siège du tracteur rouge et essaya de se souvenir de l'endroit où se posaient, autrefois, les mains de son père.

Il se rappelait très bien la forme des doigts, mais impossible de savoir quelle manette ils actionnaient.

Il redescendit et jeta un coup d'œil aux accessoires que son père, Archibald, avait l'habitude de fixer à l'arrière de ses tracteurs pour cultiver la terre. Il ne connaissait le nom que de l'un d'entre eux: la houe. Parce que son père le faisait rire en disant: «Hou! Hou! voici la houe!» mais Douglas ignorait à quoi cette fameuse houe pouvait bien servir.

Il y avait encore beaucoup d'autres instruments, des griffus, certains pourvus de lames, d'autres de tuyaux. Douglas les caressa timidement. Il aurait voulu qu'ils se mettent à parler, que chacun lui explique à quoi il servait et comment on l'utilisait. Hélas, les machines ne parlent pas.

Douglas savait peu de choses, mais de cela, il était sûr.

Découragé, il se rendit à la basse-cour. Les lapins s'animèrent en le voyant arriver. C'était toujours lui qui les nourrissait. Il leur donna des épluchures, une poignée de luzerne, un morceau de carotte.

Les poules caquetaient et grattaient le sol à la recherche de vermisseaux. Il leur lança des graines à la volée. Elles le remercièrent en poussant plus fort leur petit cri et se précipitèrent vers lui, les ailes déployées.

Il alla ensuite à l'étable et dit, tout haut, un à un, le nom des vaches, comme pour faire l'appel :

– Câline, Pipelette, Rita, Cornette, Rougeaude, Proprette, Lina, Grosse-mémère, Marguerite.

Elles lui répondirent par une série de « Meuh ! » très expressifs et il se sentit moins seul.

Il se demanda si les animaux savaient parler, et il décida que, de cela, il n'était pas certain.

Douglas n'avait jamais trait les vaches. Son père lui disait toujours que le plus important c'était de bien faire ses devoirs d'école. Lorsqu'il rentrait le soir et qu'il proposait à son père de l'aider, Archibald lui répondait :

– Je m'en sors très bien tout seul, va étudier.

Douglas regarda les pis enflés de Grosse-mémère, de Lina et de Cornette en se disant qu'il faudrait qu'il s'occupe aussi de cela. Mais il n'avait aucune idée de la façon dont on branche les machines à tirer le lait. Il y en avait plusieurs, rangées au fond de l'étable, on aurait dit des pieuvres, ou des méduses. Il avait trop peur de faire mal à ces braves bêtes avec ces appareils bizarres.

Il préféra ressortir après leur avoir distribué à chacune un bouquet de foin.

On verra ça plus tard, se dit-il.

Arrivé au potager, il ouvrit la grille et remarqua un tas de carottes près de la clôture. Tiens, pensa-t-il, Papa n'a pas eu le temps de les planter. Il creusa donc autant de trous qu'il y avait de carottes et planta leurs belles racines dans la terre. Il imaginait que les carottes, comme les pommes, poussent sur des arbres, et croyait que les longues choses vertes

que l'on appelle des fanes étaient en fait les racines.

Mes arbres à carottes ont de bien jolis troncs, songea-t-il, rassuré. Finalement, je vais m'en sortir.

Il alla se coucher ce soir-là, le cœur un peu lourd, mais aussi gonflé d'espoir. Il y arriverait, petit à petit. Il apprendrait par lui-même et il deviendrait fermier, comme son père et le père de son père avant lui.

Au réveil, il grimpa l'escalier qui menait au grenier et regarda par la lucarne les champs qui s'étendaient jusqu'à l'horizon. Il y en avait de toutes les couleurs : des jaunes, des verts, des bruns et même des roses. Il aurait été incapable de dire lesquels lui appartenaient. Comment savoir ? Son père, quand il l'emmenait avec lui, ne faisait pas de commentaires,

il chantait des chansons, très fort,
pour couvrir le bruit du moteur et,
pendant ce temps, Douglas ne regar-
dait ni la route, ni les chemins, ni les
parcelles. Il fixait les yeux sur le ciel,
amusé par la forme des nuages,
impressionné par la vitesse du vent,
fasciné lorsqu'un avion fendait l'azur
en deux.

On était au printemps, et Douglas se souvenait que c'était la saison des semailles. Archibald, dès la fin de l'hiver, commençait à en parler.

– Les jours rallongent, bientôt les semailles ! s'exclamait-il, enthousiaste.

Douglas applaudissait, réjoui, mais il n'avait jamais songé à demander à son père en quoi les semailles consistaient.

Les semailles, les semailles… se répétait Douglas dans sa tête. Qu'est-ce que ça peut bien être *les semailles* ? C'est quand on sème, se répondit-il à lui-même.

Il pensa aux fiançailles, un mot qui rimait avec semailles, et s'en amusa pensant : les fiançailles aussi, c'est quand on s'aime ! et il se mit à rire tout seul.

Il descendit à la cuisine pour se faire un café. Avant la mort de son père, il buvait du chocolat au lait, mais à présent qu'il était fermier de père en fils, il fallait qu'il avale la boisson préférée d'Archibald : du café. Il déposa une cuillerée de poudre noire au fond du filtre. Les larmes lui montèrent aux yeux, à cause de l'odeur qui lui rappelait très fort son papa. Mais il se frotta les paupières et versa l'eau chaude en s'écriant :

— Hum ! Rien de tel qu'un bon café ! Comme le faisait Archibald chaque matin.

Mon père était un homme joyeux, se dit Douglas et si je veux être fermier de père en fils, il faut sans doute que je commence par être joyeux de père en fils.

Il trempa ses lèvres dans le liquide bouillant et se demanda comment quelque chose qui sentait si bon pouvait avoir un goût si mauvais. Je m'habituerai, se dit-il. Si papa aimait ça, j'apprendrai à aimer.

Une fois le petit déjeuner terminé, il sortit dans la cour en s'étirant dans le soleil tout frais du matin.

– Bon temps pour les semailles ! dit-il tout haut, étonné de s'entendre prononcer une phrase aussi digne d'un fermier professionnel.

Il se rendit dans la remise et examina les sacs en toile, dans lesquels, pensait-il, se trouvaient les graines. Il en ouvrit un au hasard et plongea la main dedans. C'était doux, tiède et réconfortant, comme lorsque l'on trempe ses pieds fatigués dans l'eau chaude. Cela chatouillait et grouillait entre les doigts. Je vais commencer par en prendre quatre poignées, se dit-il en emplissant les poches de son pantalon.

Il marcha jusqu'au fond de la cour et ouvrit le portillon qui donnait sur un champ, à l'arrière de la maison.

Ce lopin nous appartient forcément, pensa-t-il. Il est juste à côté de la ferme, et on y entre par une barrière privée. C'est là que je vais commencer à semer.

Il se souvint alors d'un poème appris à l'école. Le poème s'intitulait *La Saison des semailles*. La plupart des strophes s'étaient échappées de sa mémoire, mais il lui restait deux ou trois vers, très inspirants :

Il marche dans la plaine immense,
Va et vient, lance la graine au loin,
Rouvre sa main et recommence…

Douglas fit comme disait le poème.

C'est alors que son voisin, Jérémias Tropenjus, l'interpella :

— Que fais-tu, dans ton pré à vaches de si bon matin, Douglas ? Tu vas effrayer les bêtes à force d'agiter les bras comme ça.

— Je sème, Père Tropenjus. Je sème !

— On est au mois de mai, pauvre petit, lui dit le voisin. Ton père a déjà tout ensemencé. Et puis, on ne plante pas le blé dans l'herbe à vaches. Et puis, on ne sème pas à la main. Et puis… Et puis…

Douglas faisait tout tellement de travers que le voisin ne savait plus quoi dire.

— Ne vous inquiétez pas, père Tropenjus, je sais ce que je fais, répondit le jeune garçon. Cela ne vous ennuie pas que je vous appelle père ? Comme vous savez, le mien est mort, et après les semailles, j'ai comme projet des fiançailles, avec Miranda, votre fille.

— Pauvre garçon ! fit simplement le voisin en secouant la tête.

Puis il ordonna à la charmante Miranda de rentrer vite fait. La jeune fille s'était faufilée hors de chez elle pour faire signe à Douglas qu'elle trouvait… comment dire… différent.

Après avoir vidé ses poches de toutes les graines qu'il y avait mises, Douglas décida qu'il était temps de faire un tour en tracteur. Il se rendit au hangar et enfourcha le tracteur bleu. Mieux valait, se dit-il, commencer par manœuvrer le plus petit des deux. Il tourna la clé de contact, posa le pied sur une pédale et actionna une manette jaune à droite du volant. Le moteur vrombit, hoqueta, cracha un nuage de fumée noire, et l'engin fit un bond en arrière.

— En une seule fois, j'ai réussi à sortir du hangar! se félicita Douglas. Cette promenade commence très bien, ma foi!

Il appuya de nouveau sur la pédale et actionna la manette dans l'autre direction, espérant déclencher la marche avant. Rien ne se passa comme prévu. Le tracteur continua à reculons. Heureusement, il n'y avait aucun obstacle derrière.

— Quelle importance ? s'exclama Douglas. En marche avant ou en marche arrière, l'essentiel, c'est de se déplacer !

Il fit pivoter le volant de manière à viser l'allée qui permettait de sortir de la ferme. Grâce à la souplesse de son cou et de ses bras, il parvint sans mal à se placer dans le bon axe et rejoignit la route, toujours en marche arrière. Il effectua ainsi plusieurs fois le tour du village, faisant signe à l'épicier, à la bouchère, à la directrice d'école.

Tous le regardaient passer avec des yeux ronds, se demandant s'il s'agissait d'un spectacle, d'une farce, ou de quelque chose de plus inquiétant.

Ce soir-là, au café, les commentaires allaient bon train.

– Vous avez vu passer Douglas Dumordu, à l'envers sur son tracteur ? demanda le père Ventru avant de commander un verre de cidre.

– Tout le monde l'a vu, répondit Viviane Fruchonnet, la directrice de l'école en sirotant sa tisane. On a bien ri. Il a toujours été facétieux. C'était un bon élève, malgré ça. Dommage qu'il ait arrêté l'école.

– Il paraît qu'il a planté ses carottes à l'envers, fit Marthe Churaviot, la patronne du bistrot. C'est Jérémias, son voisin, qui me l'a raconté. Pauvre Jérémias, il paraît que le jeune Douglas veut épouser sa fille, la charmante Miranda. Ça ferait quand même un drôle de mari !

Tous les clients du café éclatèrent de rire. Ils n'avaient pas vu entrer Jérémias et Miranda Tropenjus.

La jeune fille était rouge de colère.

– Vous n'avez pas honte de dire du mal d'un orphelin dans son dos ?! s'écria-t-elle.

Son père, à ses côtés, était plutôt vert de honte. Il n'appréciait pas que tout le village fût au courant des manies étranges de son jeune voisin, et il était plus fâché encore qu'on parle déjà de mariage entre sa charmante fille et ce drôle de garçon.

Marthe, la patronne, offrit un verre aux nouveaux arrivants pour les apaiser. Bientôt, tout rentra dans l'ordre et on se mit à parler d'autre chose.

Mais les jours passant, la réputation de Douglas ne s'améliorait pas. Certains l'avaient surpris en train de tirer lui-même le soc de la charrue qu'il n'avait pas réussi à fixer sur le tracteur. D'autres l'avaient vu arroser un champ de betterave à l'aide d'un arrosoir qu'il allait chaque fois remplir au robinet de la cuisine. Au bout de huit heures de travail, il ne s'était occupé que de dix mètres carrés, sur un terrain qui en comptait dix mille. On disait qu'il nourrissait ses poules de tartelettes aux fraises, et que ses vaches pleuraient parce qu'on ne les trayait plus. Douglas lui-même commençait à douter de ses talents pour l'agriculture.

C'est alors que, profitant d'une réunion à la mairie à laquelle son père devait participer, Miranda rendit visite en cachette à celui qu'elle considérait comme son futur mari.

– Personne ne sait que je suis là, lui glissa-t-elle à voix basse. Il ne faut pas que je reste longtemps. Mon père n'est pas content. Il te traite de bon à rien. Tout le monde au village rit de toi. Les gens n'ont pas de cœur. Moi, je sais ce que tu vaux. Je le sens. Mais il faudrait que tu donnes une preuve de ton savoir-faire. Je suis certaine que si tu réussis à accomplir quelque chose de vraiment spectaculaire, les gens n'oseront plus médire de toi. Même mon père sera d'accord pour qu'on se marie. Alors voilà, j'ai une idée. J'ai un plan. J'ai un conseil à te donner.

Douglas était médusé. Il se sentait prêt à tout mais sûr de rien.

— Peut-être ont-ils raison, dit-il à Miranda. Moi-même, j'ai parfois l'impression de faire tout à l'envers.

— Ne t'en fais pas. Si tu suis mon conseil, ta vie va changer. Et la mienne aussi !

Douglas écouta la jeune fille sans oser la regarder, tant il était ému par sa beauté.

— Voilà, dit-elle. Il y a une nouvelle mode en ce moment. Tout le monde en parle. Si tu te lances là-dedans, notre avenir est assuré.

— De quoi s'agit-il? demanda Douglas. Pour l'instant, rien de ce que j'ai entrepris n'a marché.

— As-tu entendu parler du *poulet fermier*?

— *Le poulet fermier*? répéta Douglas. Non, ça ne me dit rien.

— Eh bien, c'est ça l'astuce, la solution, le sésame. Il faut se lancer à tout prix dans le poulet fermier. Tu m'as bien comprise? Le poulet fermier.

— Le poulet fermier, répéta de nouveau Douglas, mais d'un ton plus ferme et plus assuré. Tu peux compter sur moi.

— Il faut que j'y aille, murmura Miranda avant de déposer un baiser sur la joue de Douglas. Fais ce que je te dis et tout va s'arranger. Dans quelques mois, nous pourrons nous marier.

Et elle disparut dans les derniers rayons du soleil couchant.

Pendant la nuit, Douglas fit un rêve. Un rêve merveilleux. Miranda en robe de dentelle blanche et lui, en beau costume bleu, s'embrassaient sous un bouquet de lilas. Le soleil brillait, un orchestre de violons jouait des valses et les amoureux rayonnaient de bonheur.

Au réveil, Douglas se leva d'un bond et, sans prendre le temps de boire son café, se précipita au poulailler. Il s'assit sur le sol de terre battue et agita les mains afin d'attirer les volailles qui croyaient recevoir du grain. Une fois que toutes les bestioles furent assemblées autour de lui, il se racla la gorge et dit d'un ton solennel :

– Mesdames, Messieurs, poules et poulets…

Il se gratta le menton, se demandant ce qui lui prenait de s'adresser en parlant à des animaux qui ne savaient dire que cot-cot-codec et cocorico. Comprenaient-ils le langage des hommes? Ils avaient l'air si attentifs que cela l'encouragea à poursuivre.

— Je suis venu vous rendre visite ce matin, car j'ai une mission très importante à vous confier, ou plutôt à confier à l'un ou l'une d'entre vous. L'heure est grave et mon destin en dépend, ajouta-t-il d'un air anxieux.

— Cot-cot, pot-pot, cocoricocoro, commentèrent les poulets.

— J'ai entendu parler d'une nouvelle mode, et on m'a dit que si je réussissais dans ce domaine, j'avais des chances de sauver ma ferme et d'épouser celle que j'aime.

— Pot-pot, cot-cot, répondirent les animaux.

— Ce qui marche très fort en ce moment, c'est le poulet fermier. Voilà, je n'en sais pas plus, avoua Douglas. Mais cela ne doit pas être très compliqué. Vous n'avez qu'à désigner le poulet le plus doué d'entre vous et il deviendra mon poulet fermier. Il traira les vaches, conduira le tracteur, plantera les légumes comme il faut. Quoi qu'il en soit, il ne peut pas s'en sortir plus mal que moi. À présent, je vais me retirer dehors pour vous laisser réfléchir, et, quand vous aurez désigné votre élu, il ne vous restera plus qu'à ouvrir cette petite porte et à le faire sortir dans la cour. Quelle que soit votre décision, je vous promets que je la respecterai.

Et Douglas fit comme il avait dit. Assis en tailleur à la sortie du poulailler, il avait le sentiment d'avoir bien parlé. Il avait été clair, il s'était montré calme et encourageant. Il n'avait plus qu'à attendre.

Au bout de quelques minutes, un jeune coq sortit en se dandinant et vint se poster devant Douglas.

— Qui es-tu ? demanda le jeune homme.

— Ton père m'appelait Crête-d'or, mais, en vérité, je me suis toujours appelé Ernest.

— Alors je t'appellerai Ernest, déclara Douglas, un peu ému et heureux aussi de faire les choses différemment de son papa chéri.

— Les membres de la basse-cour m'ont désigné comme le plus apte à remplir la mission.

— Parfait, cher Ernest. Ils te connaissent mieux que moi et j'accepte leur décision. Tu t'y connais en agriculture ?

— Je pense bien, fit le coq d'un air rassurant. Je ne suis ni très grand, ni très fort, mais j'ai beaucoup observé. Je suis prêt à commencer dès ce matin, mais il y a une chose que j'aimerais te demander en échange de mon aide.

— Parle, et tu seras exaucé, fit Douglas.

— Promets-moi que, dans ta ferme, nous, les poulets, nous vivrons protégés.

— Protégés de quoi ? demanda Douglas, interloqué.

— Protégés de vous, les hommes.

— Nous vous avons toujours bien traités, je crois.

— Certes, accorda Ernest. Mais vous finissez toujours par nous manger, ajouta-t-il, timidement.

— Vous manger ? Aucune chance, je n'aime que les tartines.

— Alors c'est d'accord. On commence tout de suite, déclara Ernest. Il n'y a pas de temps à perdre.

— Une minute ! dit Douglas. Il manque quelque chose. Je reviens !

Le jeune homme grimpa au grenier et fouilla dans la malle qui renfermait ses vieux jouets. Il y avait là des pistolets à bouchon, des déguisements de mousquetaire, des navires de pirate en miniature, et un baigneur vêtu d'une salopette bleue.

Voilà qui fera l'affaire, se dit Douglas.

Il déshabilla la poupée et dévala l'escalier.

– Enfile-ça, conseilla-t-il au poulet. On dit que l'habit ne fait pas le moine, mais ça compte tout de même un peu.

Le poulet enfila la salopette bleue et demanda :

– Tu n'aurais pas une casquette pour aller avec ? Ça ferait tout de même plus sérieux.

Douglas grimpa à nouveau au grenier et dénicha une petite casquette exactement de la bonne taille.

Ainsi vêtu, Ernest prit bien vite les choses en main. Il grimpa sur le tracteur, actionna manettes et pédales en sautant par-ci, en rebondissant par-là, trouva sans peine la marche avant, ainsi que le système pour fixer les remorques, sélectionna un engin permettant de répandre de l'engrais et s'en alla, en sifflotant, fertiliser les champs de la ferme Dumordu.

De loin, on aurait cru que le tracteur avançait tout seul, tant le conducteur était petit. Mais la réalité était bien pire. Quand les villageois découvrirent que c'était un poulet qui conduisait, ils pensèrent qu'il serait bientôt temps d'appeler l'asile de fous pour faire enfermer Douglas. Ils attendirent, néanmoins, de voir ce qui se passerait le lendemain.

– Aujourd'hui, je vais m'occuper du potager, annonça Ernest à

Douglas autour d'une bonne tasse de café. Tiens, fit-il, tu devrais mettre un sucre dans ton breuvage, ça passera mieux.

— Comme tu es malin! s'exclama Douglas en dégustant son café aussi doux qu'un bonbon.

— J'ai plus d'expérience, dit Ernest. C'est tout.

— Que vas-tu faire au potager?

— Je vais replanter les carottes à l'endroit et démarier les salades.

— Parfait, dit Douglas. Je te regarderai faire et, ainsi, j'apprendrai.

Le jeune homme suivit son poulet fermier jusqu'au potager et l'observa tandis qu'il grattait le sol avec son bec et travaillait la terre avec acharnement.

C'est alors que Jérémias Tropenjus apparut de l'autre côté de la haie.

— Dis-moi, mon bon garçon, que fait ce jeune coq dans ton potager ? Il risque de le ruiner. Tu devrais le chasser de là. Ces bêtes ne sont bonnes qu'à manger les graines que l'on veut faire pousser. N'espère rien de ton jardin si tu y laisses traîner la volaille.

— Ne vous inquiétez pas, petit père. Ce n'est pas un coq ordinaire. C'est un poulet fermier. Vous m'entendez ? Un pou-let fer-mier, articula-t-il avec soin. La dernière mode !

Jérémias Tropenjus se prit la tête dans les mains.

— Pauvre enfant, se dit-il. Il a perdu la raison.

Il en fut convaincu tout à fait lorsqu'il entendit Douglas s'adresser à la volaille.

— C'était mon futur beau-père, annonça-t-il à Ernest. Je crois que tu lui as fait forte impression. Les choses sont en bonne voie.

La nuit venue, Douglas fut réveillé en sursaut par des cris et des geignements. Il se dressa dans son lit, tendit l'oreille et comprit que quelqu'un pleurait.

Il sortit à toute vitesse de la maison et se laissa guider par le son. Dans le jardin, près du potager, de l'autre côté de la haie, quelqu'un sanglotait.

– Qui est-ce ? Qui pleure ? Qu'y a-t-il ? Je peux vous aider ?

À la lumière de la lune, il reconnut Miranda, roulée en boule contre le buis que cultivait avec amour Jérémias Tropenjus.

– Miranda, ma fiancée, ma chérie, pourquoi pleures-tu ?

– Qu'as-tu fait ? Qu'est-ce qui t'a pris ? Tout le monde dans le village dit que tu es devenu fou. Demain, ils vont envoyer des gens pour t'emmener à l'asile. Je ne me marierai jamais.

— Que dis-tu là ? J'ai agi selon tes conseils. Je me suis lancé dans le poulet fermier.

— Où est ton élevage ? Où sont tes graines de maïs bio ?

— Mais de quoi parles-tu ? Mes champs sont fertilisés. Mon potager est replanté et demain, nous nous occupons des vaches !

— Nous ? dit Miranda. Qui ça, nous ?

— Moi et mon poulet fermier ! s'exclama Douglas.

— Oh, mon chéri, fit la jeune fille. C'était donc vrai. Tu es devenu fou.

Et elle se mit à pleurer plus fort encore.

– Fais-moi confiance, Miranda. Tout ce que je fais, je le fais pour toi. Tout se passera bien. Je le sais. Je le sens. Ernest a notre destin en main.

– Ernest ? Qui est Ernest ? demanda Miranda.

— Ernest? C'est mon poulet fermier!

À ces mots, la jeune fille s'enfuit en pleurant de plus belle.

Le lendemain, dès les premiers rayons du soleil, Ernest vint réveiller Douglas.

— Debout, paresseux. Les vaches nous attendent. Avec un peu de chance, ce matin, nous aurons droit à un café au lait!

Douglas avait mal dormi, mais il s'étira quand même et sauta hors de son lit pour se rendre à l'étable, sans même prendre le temps d'enfiler son bleu de travail.

En pyjama, il regarda Ernest démêler les tuyaux des trayeuses et l'aida à les porter jusqu'aux vaches qui meuglaient d'impatience. Le poulet expliqua à son ami et maître comment s'y prendre, et Douglas n'eut aucun mal à faire fonctionner les machines.

Une heure plus tard, ils avaient plusieurs tonneaux de lait tout chaud et purent boire un café-crème bien sucré et bien mousseux dans la cour de la ferme qui ressemblait enfin à quelque chose, car, sur les conseils d'Ernest, Douglas avait tout rangé et tout bien disposé.

À dix heures, alors que le jeune homme et son coquelet nettoyaient l'étable, les villageois débarquèrent à la ferme, accompagnés de deux infirmiers de l'asile de fous, entièrement vêtus de blanc.

– Bonjour, chers voisins, chers amis ! s'exclama Douglas avec fierté. Vous venez sans doute constater les miracles accomplis par le poulet fermier. J'ai bien dit le pou-let fer-

mier, le seul, l'unique! fit-il en dési-
gnant son animal fétiche.

Mais Ernest avait disparu.

– Ernest! cria-t-il. Ernest! Où te
caches-tu? Il a dû prendre peur. Je
vais vous guider moi-même pour la
visite.

— Laissons-le faire, conseillèrent les infirmiers. Il ne faut pas le contrarier.

C'est ainsi qu'après avoir fixé au gros tracteur rouge une remorque tapissée de foin odorant, dans laquelle Douglas invita tout le monde à grimper, il commença la visite de la ferme Dumordu, avec son potager, ses champs, ses bêtes.

En quelques jours, l'homme et le poulet avaient accompli des miracles. Les villageois ne purent qu'admirer la terre riche et aérée, le potager par-

faitement planté, les vaches paisibles et amicales, la basse-cour impeccable.

Au moment d'introduire ses invités dans le poulailler, Douglas sentit quelque chose le tirer par le bas de son pantalon. C'était Ernest qui, une

aile en travers du bec pour dire « chut ! », attirait le fermier dans une ruelle.

— Mon cher Douglas, chuchota le poulet. Ne leur parle plus de moi. Je suis trop modeste et trop timide. Montre-leur le poulailler et fais comme si j'étais un coquelet ordinaire. Ne m'adresse pas la parole. De mon côté, je ferai des cot-cot et des cocoricos comme si de rien n'était. Suis mon conseil et tu seras marié avant l'été.

Douglas fit comme Ernest l'ordonnait.

Les villageois admirèrent les poulettes, s'étonnèrent de leur calme remarquable et du nombre d'œufs pondus la nuit même.

— Et votre poulet fermier, demanda l'un des infirmiers. Il paraît qu'il est très spécial ; si spécial que vous lui parlez, n'est-ce pas ?

— Qu'est-ce que vous racontez, s'étonna Douglas en riant aux éclats. Un homme qui parle à un poulet ? On n'a jamais vu ça ! Non, cher monsieur, j'aime encourager mes bêtes, simplement, comme faisait mon père avant moi, comme font tous les Dumordu depuis des générations. Je leur dis des choses comme « Voilà, mon coco, c'est bien ! » Je suis certain que mon voisin, Monsieur Tropenjus fait la même chose avec ses vaches et ses biquettes.

— Et même avec ma jument, renchérit Jérémias, soulagé. L'autre jour, je lui ai dit qu'elle était un diamant brut.

Tout le monde se mit à rire et chacun raconta les mots doux qu'il adressait à ses animaux.

Les infirmiers de l'asile de fous se dirent, un peu déconcertés :

— Soit on embarque tout le monde, soit on n'embarque personne.

Avant qu'ils aient pu se décider, Jérémias Tropenjus les prit à part et leur expliqua qu'il s'était trompé, qu'il regrettait de les avoir dérangés pour rien, et qu'il serait heureux de leur offrir un litre d'eau-de-vie de prune à chacun pour les remercier de s'être déplacés. Les deux hommes acceptèrent et quittèrent le village tout contents.

La visite de la propriété dura encore quelques heures et, à chaque nouvel herbage, à chaque nouvelle parcelle cultivée, les gens admiraient la bonne tenue et le joli travail. Certains se mirent même à demander conseil à Douglas, qui, ayant observé de près son poulet fermier, n'avait aucun mal à répondre aux questions les plus compliquées. Ce fut un immense succès et chacun rentra chez soi, persuadé que Douglas Dumordu était devenu le digne successeur de son père Archibald.

Une fois que le soleil fut couché, Douglas entendit toquer à sa fenêtre, il était en train de boire un café au lait avec son poulet fermier.

– Je vais me cacher, fit Ernest. Après la visite que nous avons reçue cet après-midi, je crois qu'il vaut mieux que personne ne sache que j'existe.

Le poulet bondit de la chaise et se faufila dans le placard de la cuisine.

– Entrez ! s'exclama Douglas.

Miranda passa son joli visage dans l'entrebâillement de la porte.

— Je ne te dérange pas?

— Pas du tout. Viens. Ton père sait que tu es là?

— Oui. Et tu ne devineras jamais ce qu'il m'a dit.

— Je ne suis pas très fort en devinettes, admit Douglas.

— Il m'a dit: «Une fiancée peut bien aller dire bonsoir à son fiancé si elle rentre avant la nuit.»

Douglas était si surpris et si ému qu'il avala son café de travers et se mit à tousser sans pouvoir s'arrêter.

La jeune fille effrayée se précipita pour lui taper dans le dos. Mais avant qu'elle ne l'ait atteint, elle fut arrêtée net par une vision des plus étranges.

Sur la table de la cuisine, un poulet, surgi d'elle ne savait où, versait de l'eau dans un verre, y

déposait un sucre et remuait le tout avec une petite cuillère.

— Faites-lui boire ça tout doucement, conseilla Ernest.

Miranda était paralysée. Elle était incapable de bouger, ni les bras, ni les jambes. Et, pendant ce temps, Douglas commençait à s'étrangler sérieusement.

— Vous ne voudriez pas qu'il meure, tout de même ? fit Ernest.

La jeune fille parvint, à grand peine, à secouer la tête.

— Oh, non, non ! murmura-t-elle.

— Alors faites ce que je vous dis, ordonna le poulet.

Miranda, d'une main tremblante, prit le verre et le porta aux lèvres presque bleues de son fiancé, qui, après trois petites gorgées, cessa enfin de tousser.

— J'ai beaucoup entendu parler de vous, fit Miranda, hésitante, en s'adressant à l'animal.

— Ne fais pas attention à lui, s'écria Douglas en s'interposant entre la jeune fille et le poulet. Ce n'est rien.

Miranda fit un pas de côté et demanda :

— Vous êtes… heu… le poulet fermier de Douglas, c'est bien ça ?

— Absolument, répliqua Ernest. Et je n'aurais peut-être pas dû sortir de ma cachette, vu la tête que vous faites ! Les humains sont si méfiants, si conventionnels ! C'était pourtant votre idée.

Miranda et Douglas se regardèrent. Leurs cœurs battaient très fort.

— Qu'allons-nous faire, maintenant ? murmura Douglas.

— Maintenant, poursuivit Ernest, si Miranda refuse de t'épouser parce que tu possèdes un poulet qui parle, c'est qu'elle n'est pas digne de toi. Si, de ton côté, tu refuses d'épouser Miranda parce que tu as honte de lui avouer que tu parles avec les animaux et que tu as reçu les conseils d'un poulet, c'est toi qui ne la mérites pas.

Les deux jeunes gens éclatèrent de rire.

– Voilà qui est mieux, déclara Ernest, fier de son petit effet.

Il fut décidé, ce soir-là, que cette histoire resterait le secret de Douglas et Miranda Dumordu, ainsi que des nombreux enfants qu'ils auraient.

Dans cette ferme pas comme les autres, on ne mangeait pas de poulet et on parlait aux animaux, mais personne n'était obligé de le savoir.

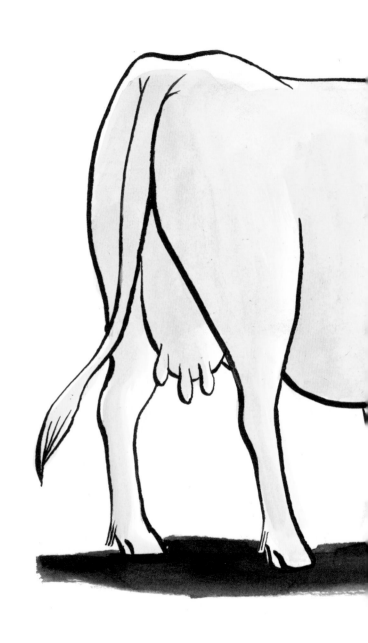

Du même auteur à *l'école des loisirs*

Collection MOUCHE

Le roi Ferdinand
La femme du bouc émissaire
Les grandes questions
Les trois vœux de l'Archiduchesse Von der Socissèche
Le monde d'à côté
Petit Prince Pouf
À deux, c'est mieux
Igor le labrador et autres histoires de chiens
C'est qui le plus beau ?
Les frères chats
Je veux être un cheval
Mission impossible
Dingo et le sens de la vie

Collection CHUT !

Les grandes questions
lu par Sylvie Ballul et Catherine Soullard
La femme du bouc émissaire
lu par Benoît Marchand